おつりがもらえない

さく　みずのかつし・どいたくむ　　え　いまひろさわこ

ぼくはひとりで買い物に行く。

お母さんのように、
お金をはらって、おつりをもらう。
だって、
ぼくはもう子どもじゃないもの。

5円玉をもって買い物に行った。

このチョコレートは１個５円。

「これ、ください！」

ぼくはレジのおばさんに向かって

元気よく言った。

そして、

レジの横にかけられていた

レジ袋にチョコレートを入れた。

「あぁ、ぼく。レジ袋は１枚５円だから
チョコレートは買えないよ」

「え？」

ぼくは空のレジ袋を手にして家へ帰った。

ある日、10 円玉をもってガムを買いに行った。

お店の店員さんにガムをわたして、

「これください！」。

「あぁ、ぼく。これは大人のガムで

100 円するんだよ」

「だがし屋さんでは 10 円なのに、

ここでは 100 円なの？」

「ごめんね…。よければアメ玉を

あげるね」

「ありがとう！」

ぼくはアメ玉を 1 つうけとった。

おばあちゃんのいる田舎に遊びにいった。
お店は少ないけれど、バスにのって
どこでも行ける。

50円をにぎって、だがし屋さんに
5円のチョコレートを買いに行く。
「50円あるんだもん。5円チョコレートを
　たくさん買えるよ」

「あ、バスがきた！」

ぼくは 50 円をはらってバスにとびのった。

バスはだがし屋さんの前についた。

ぼくは５円のチョコレートを

１つ手にとって、

レジのおばさんに言った。

「これ、ください！」

「はいはい。５円だよ」

「…あれ？　ない。

　50円がない。あ！？」

ぼくが泣いていると、

みなれた車がだがし屋の前でとまった。

「お母さん！」

ぼくはお母さんの運転する車に

のって帰った。

買い物できなかったから、

おつりももらえなかった。

今日はお父さんの肩たたきをした。

お父さんはぼくに 100 円をくれた。

「やった！」

ぼくは 100 円のガムが売っている

コンビニへ走った。

「これ、ください！」

「ちょうど 100 円だね」

店員さんはそう言って、

ぼくの 100 円をうけとった。

「あれれ？　おつりは？」

「おつり？

だって、そのガムは 100 円だよ」

「あ、そうだった」

「スーパーで 300 円のゴミ袋を
買ってきて」
お母さんがぼくに言った。

「おつりが出るから、おサイフに
500 円玉を入れていくといいわ」
「今日こそおつりがもらえる！」

ゴミ袋を店員さんにわたした。

「これ、ください！」

「おつかいかな？ えらい、えらい。
　ゴミ袋は 300 円です」

ぼくはポケットからおサイフを出そうとして、

床におとしてしまった。

そのとき、おサイフのなかに入っていた

クーポン券がちらばった。

「ぼく、ラッキーだったね。
ここにゴミ袋と交換できるクーポン券がある。
だから、お代はいらないよ」
「あ、ありがとうございます」
ぼくはゴミ袋を手にして、家に帰った。

「お荷物でーす」

玄関のむこうから声が聞こえた。

「あ！きっと注文していたものだわ。
お母さんのおサイフから 1000 円札をとって、
お兄さんにわたしてもらえるかな」

買い物とはすこしちがうけれど、

これでおつりがもらえる！

ぼくは1000円札をにぎりしめて玄関へむかった。

「はーい！」とドアをあけると、お兄さんに

「サインをおねがいします」と言われた。

ぼくがサインをすると、

「それでは、お荷物をお渡ししました」

そう言って、お兄さんは

玄関のドアをしめた。

「こんなお金もあるんだね」

ぼくは 2000 円札をはじめて見た。

「2000 円札はまちであまり
見かけないけれど、
ちゃんとしたお金なんだよ」

お父さんはそう言って、

「ないしょだよ」とぼくに

2000 円札をくれた。

「そうだ！　これでおつりがもらえる」

ぼくは自動販売機でジュースを買うことにした。

「あれ？」うまく自動販売機に入らない。

通りかかったおじさんがおしえてくれた。

「2000 円札は自動販売機では使えないんだよ」

「そうなんですか？なんで…」

「なんでなんだろうね。

　おじさんもわからないや」

そう言っておじさんは去っていった。

今日はレストランでお食事。

「あー食べた」「おいしかったわね」

「車のエンジンをつけてくるね」

お父さんは先に席を立った。

「じゃあ、食べた分のお金をはらわなきゃいけないわね」

「お母さん！ ぼくがはらうよ。いくらなの？」

「そうね。5000 円をはらえば、おつりがくるわ」

お母さんはサイフから 5000 円札をとり出し、

ぼくにわたしてくれた。

「ごはんを食べたので、お金をはらいます！」

店員さんは言った。

「さきほど、お父さまがクレジットカードで支払われました。

　なので、お代はもういただいています」

「あら、そうだったんですね」

お母さんは

うれしそうにしている。

「どうして、おつりがもらえないんだろう…」

ぼくは考(かんが)えた。

「そうだ！　大きなお金で買い物をすればいい」

大きなお金と言えば、10000円札。

「おじいちゃんからお年玉でもらって、

貯金箱に入れていたんだ」

ぼくは貯金箱をあけて、10000円札をとり出した。

ぼくはだがし屋(や)さんへ走(はし)った。

「これ、ください！」

ぼくは５円のチョコレートを１つ手にして、

10000円札をわたした。

「ぼく、10000円札かい？
　それじゃ、5000円札や1000円札、
　500円玉や100円玉、
　50円玉や10円玉に5円玉と
　たくさんのおつりをわたさないと
　いけないねぇ」
ぼくはワクワクした。

「じゃあ、今日は特別！そのチョコレート、ぼくに１つだけあげちゃう！」

おばさんはぼくに５円のチョコレートを１つわたしてくれた。

ぼくはお礼を言って、だがし屋さんを出た。

さいごまで、ぼくはおつりをもらえなかった。

いつかぼくも、お母さんみたいに買い物してみたいなあ。

さて、どうすれば、ぼくはおつりをもらうことができたでしょう。

いっしょに考えてみよう。

おしまい

おつりがもらえない

2023年9月15日　初版発行

著　　者：みずのかつし / どいたくむ / いまひろさわこ（絵）

発 行 者：長谷 雅春

発 行 所：株式会社五絃舎　〒173-0025 東京都板橋区熊野町 46-7-402
[Tel & Fax]03-3957-5587 [e-mail]gogensya@db3.so-net.ne.jp

印刷・製本：絵本工房オレンジ PoPo

Printed in Japan

© 2023

ISBN 978-4-86434-173-8